Franklin visite le musée

Avec nos remerciements au musée royal de l'Ontario - *P. B.* et *B. C.*

Franklin

Franklin est une marque de Kids Can Press Ltd.

Publié pour la première fois en 1999 par Kids Can Press Ltd.,
Toronto, Ontario, Canada sous le titre *Franklin's Class Trip*.
© 1999, Contextx Inc. pour le texte.
© 1999, Brenda Clark Illustrator Inc. pour les illustrations.
Les illustrations ont été réalisées avec l'aide de Shelley Southern.
© 2004, Hachette Livre / Deux Coqs d'Or pour l'édition française
Tous droits réservés. Reproduction interdite, même partielle,
sous quelque forme et par quelque moyen que ce soit,
sans la permission écrite de l'éditeur.
ISBN : 2.01391051.7
Dépôt légal n° 47551 – Août 2004 – Édition 01
Loi n° 49-956 du 16 juillet 1949 sur les publications destinées à la jeunesse.
Imprimé chez Pollina en France – n° L 93758

Franklin visite le musée

Paulette Bourgeois - Brenda Clark
Adaptation française de Cécile Beaucourt

DEUX COQS D'OR

Franklin sait compter jusqu'à cent et nouer ses lacets comme un grand.

Avec sa classe, il a déjà visité la boulangerie, la caserne des pompiers et l'animalerie.

Aujourd'hui, l'instituteur a organisé une visite du musée. Franklin est tellement impatient qu'il a bien du mal à avaler son petit déjeuner.

« Ouaouh, il est gigantesque, ce musée !
s'écrie Franklin en voyant le grand escalier
et l'énorme porte d'entrée.
— Forcément, dit Lili le castor, puisqu'il y a
des dinosaures à l'intérieur. »

Lili a déjà visité le musée et apparemment,
elle connaît toutes les salles par cœur.

« D'énormes dinosaures, insiste-t-elle,
des dinosaures tellement gros qu'ils ont l'habitude
de manger des arbres entiers pour le petit déjeuner. »

Franklin n'ose pas demander ce que ces dinosaures
mangent pour le déjeuner…

Il s'assoit sur les marches.

« Qu'est-ce qui ne va pas ? demande Arnaud l'escargot.

– Lili dit qu'il y a de vrais dinosaures dans le musée.

– Ce n'est pas très rassurant », admet Arnaud.

Franklin hoche la tête.

Dans le hall du musée, M. Hibou explique les règles pour la visite. Il est interdit de crier et de courir. Il ne faut surtout pas s'éloigner du groupe.

« Monsieur Hibou, dit Lili, vous oubliez quelque chose : il faut faire très attention aux dinosaures ! »

Ça fait bien rigoler Ludo l'élan et Martin l'ourson, mais pas tellement Franklin. Il préfère se rapprocher encore de M. Hibou.

Dans la première salle, Franklin découvre la grotte
des chauves-souris. Il y fait très sombre. On entend plein
de cris et de piaillements.

« Qu'est-ce que c'est que ça ? demande Franklin.

– T'inquiète pas, ce sont juste les sons que font
les chauves-souris pour se repérer », répond Lili en riant
de son air effrayé.

Franklin est soulagé : ce ne sont que des chauves-souris…
et non pas des dinosaures.

Ensuite, la classe découvre la forêt tropicale.
Franklin grimpe jusqu'à un poste d'observation.
Il a une vue extraordinaire sur les plantes et les animaux.

« Est-ce que tu aperçois des dinosaures ? »
demande Arnaud.

Franklin secoue la tête et redescend en courant.

Il y a tant de choses à découvrir
dans ce musée que Franklin
en a presque oublié les dinosaures.
Dans la salle sur le Moyen Âge,
il s'amuse à se déguiser en chevalier.

Il fait même des fouilles dans un grand bac à sable.
Il a l'impression d'être un célèbre archéologue.

« Le meilleur reste à venir, dit Lili lorsqu'ils sont tous installés à la cafétéria.

– Tu as raison, dit Martin l'ourson, c'est l'heure de manger maintenant!

– Je crois que Lili veut plutôt parler des dinosaures », dit M. Hibou en souriant.

Franklin sent sa gorge se nouer.

« Je suis un peu fatigué. Je crois que je vais vous attendre ici, murmure-t-il.

– Moi aussi, dit Arnaud.

– Quand vous verrez les dinosaures, vous oublierez que vous êtes fatigués, dit M. Hibou. Mangez vite et allons-y! »

Franklin et Arnaud suivent à contrecœur
les empreintes géantes et s'avancent dans une longue allée
bordée d'arbres. Ils entendent de gros rugissements.
Le sol tremble. Et Franklin aussi.

« Aahh ! » crie Franklin
en arrivant dans la salle.
Il est nez à nez avec
un squelette de tyrannosaure.

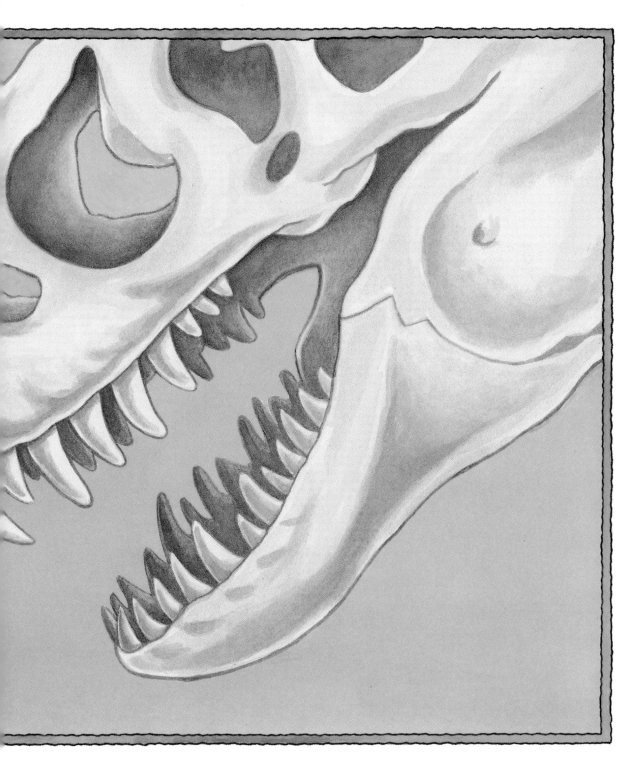

« Mais ce sont des squelettes ! Il n'y a pas
de vrais dinosaures vivants !

– Vivants ? Lili s'étrangle de rire.
Bien sûr que non. Celui-là ne fait plus de mal
à personne depuis plusieurs millions d'années.
Tu es un farceur, Franklin.

– Un sacré farceur », chuchote Arnaud
en souriant.

En sortant, Franklin et ses amis passent
dans la salle égyptienne.

« La prochaine fois, dit Lili, il faut absolument
qu'on visite le tombeau. Il y a une momie à l'intérieur.

– Une vraie? demande Franklin.

– Oui, répond Lili, et elle fait un peu peur. »

Mais après sa visite aux dinosaures,
Franklin n'a plus peur de rien.

Franklin est devenu un grand aventurier.
Il est pressé de raconter ses découvertes à sa maman.